刘 佳

U0138269

天津人民美术出版社

刘 佳

男，1965 年 6 月出生，浙江省杭州市人。

1990 年毕业于南京师范大学美术学院，1995 年结业于中国美术学院，现为苏州大学艺术学院副教授、中国美术家协会会员。

1997 年中国当代名家作品珠海邀请展。

1998 年中国首届国画家学术展国画家奖。

1998 年首届江苏省美术节作品展。

1999 年纪念孔子诞辰 2550 周年全国美术作品展。

2000 年全国第二届中国花鸟画展。

2000 年全国中国画展铜牌奖。

2001 年全国中国画展。

2001 年中国画名家扇面精品展。

2002 年全国中国画展优秀奖。

2002 年首届烟台之夏中国画名家学术提名展。

2002 年中国当代水墨邀请展。

2002 年画册《当代美术家丛书——刘佳》出版。

2003 年江苏中国画百家作品展。

2003 年第二届全国中国画展。

2003 年全国中国画画家提名展铜奖。

2003 年全国中国画画展铜奖。

作品刊登于《美术》、《美术观察》、《国画家》、《艺术界》等专业杂志，并被国家美术馆及有关机构收藏。

丛书总编：岳增光　责任编辑：高虹　封面设计：刘庆和　封底篆刻：陈平

图书在版编目 (CIP) 数据

走近画家. 刘佳 / 刘佳绘. 一天津：天津人民美术出版社，2004　ISBN 7-5305-2659-6

I. 走…　II. 刘…　III. 中国画—作品集—中国—现代　IV.J222. 7

中国版本图书馆 CIP 数据核字 (2004) 第 092372 号

走近画家　天津人民美术出版社出版发行

刘　佳

出版人 / 刘建平

天津市和平区马场道 150 号　邮编：300050　电话：(022) 23283867

2005 年 2 月第 1 版　2005 年 2 月第 1 次印刷　开本：889 × 1194 毫米　1/16　印张：3

新华书店天津发行所经销　北京经纬印刷厂印刷　印数：0001-3050

ISBN　7-5305-2659-6/ J · 2659　定价：22.80 元

PREFACE

■**邵大箴** / 中国美协理论委员会主任
中央美术学院教授、博士生导师
《美术研究》杂志社社长

中国画的发展寄希望于现在的中青年艺术家。他们从 20 世纪走来，迎着新世纪的朝霞，怀着对未来的憧憬与期望。上世纪的社会动荡与激烈变革，以及在此过程中中国画所遇到的挫折，它所受到的洗礼，还有它获得的难得的发展机遇，都给现在的中青年艺术家们以深刻的体验与印象。这是承上启下的一代人，他们在先辈们成就的基础上，克服各种困难与阻力，为中国画的革新付出了自己的艰辛。他们选择的创作过程相互有差异，有的偏重传统，走"以古开今"的路；有的偏向于"中西融合"，在融合中寻求创造的新机，同样是借鉴外国艺术经验，有的侧重于西方古典艺术，有的则侧重于现代；但是，他们的大方向是一致的，那就是为创造有时代感的现代中国画而努力。他们都怀着虔诚的心情学习传统，他们更怀着巨大的热忱面向现实生活，注意观察、体验现实中的人与自然。他们在一切外国艺术经验前面，头脑冷静，取分析态度，把认为对自己有用的东西吸收过来，为新的创造服务。20 世纪末的中国画面貌，正是由这些中青年艺术家们的创作构成的。

综观这些艺术家的创作，有一点使我们得到启发，那就是，凡是能感动人的作品，必然首先是感情真挚的。感情的真，是绘画必具的重要品格。绘画中感情的真来源于作者对生活、对艺术的真诚感受。来源于作者的素质与修养。其次是对技巧的重视，形成技巧的因素是脑、心、手的统一，绝不是像有些人所说的那样，绘画技巧仅仅是手工技艺，是没有观念与思想的。其实，即使是纯粹的"手艺"，艺术家们也不应歧视，殊不知要真的掌握一门技艺，也是需要付出毕生精力的。我之所以说上面一段话，是因为有人至今还散布鄙视中国画的言论，以为现代艺术崇尚观念，有了观念就有了一切；以为在现代化的社会，用手绘出来的、写出来的中国画已无存在的价值与意义。其实，中国画是最有人性、最能真切传达人的感情的艺术表达方式。它的观念通过含蓄而有诗意的笔墨语言传达出来，在高科技社会，在重物质的新时代里，它以其丰富的感情内容和特有的精神性，感染和熏陶人的视觉与心灵。它有广阔的发展空间，这是毋庸置疑的。

《走近画家》丛书所介绍的中青年画家，都已有自己独立的艺术面貌，有的已在艺坛享有盛名。他们的作品，他们的艺术经历，他们的艺术主张与观念，肯定是人们、特别是热爱艺术的人们所关心的。相信这套丛书的出版，会受到社会各界的欢迎。

■ 冯 豪／国家高级美术师、美术评论家

自出机杼真品格
——刘佳近作解析

好些年，我总觉得刘佳的艺术状态有些偏离，有点另类的意味。

他过去一般是不去参加什么画展活动的，而难得参展的作品，也往往会使人感到吃惊、别扭和震动，往往会听到这样的评语：有点说不出的味道。新颖独到——可不太美！不过，实际上，刘佳并不是一个放浪不羁的人。他生性恬静、有点敏感且十分细心。关键在于他全然与众不同的想法与用心而已。他与别人拉开了距离有时还会格格不入，但他的行为举止常常会不由自主地流露出一种独特的人性特色，待人真诚、热情且有些谨慎，但为了一个远方专程来造访的客人就可以使自己成为一个不回家的人，远在杭州的他的父亲会给他一些有益的忠告，但大多"将在外，君命有所不受"，他有时会执迷不悟、一意孤行，沉迷于单调而明晰的线条领域，为了求得独特而煞费苦心，作为寻找绘画艺术的一个起点，他日思夜梦，不停地超负载工作，然而这仅仅是一些表象，似乎这一切定格了悲壮命运主题的艺术本身就是喜忧参半的事情，它就像笼罩在阴影里的千年古城墙一样，很难摆脱掉一些空漠与沉重。也许刘佳也太执著于兹，一直在苦苦追求理想中的境界，他向我们展示的笔情墨趣与我们熟知的传统经典大相径

庭而相隔太远，有时几乎还超过了常规的底线！有时候我甚至在想，这一个有点着了魔的、具有敏感气质和心理的年青人到底要在当代中国画艺术的"大磁场"里走得多远！可以说，诠释刘佳，很难说是一件易事，叙述他的作品，也不是一件什么快事，因为我感觉得出，刘佳的内心实际有太多太多的沉重，我对掀开追忆过去的帷幕，实在有些不忍，那实在有些暗淡的旧时岁月，尽管已变得影影绰绰。但在他有些压抑的记忆里，一直还是那样留有深刻的印记，他幼时生活的天空就遇阴霾密布，双亲远别，他的心目中的父亲只是远去的模糊背影，但这也确实铸造了刘佳的顽强的精神和灵魂，非此，就不能读懂刘佳，非此，更不能真正理解他的作品！

刘佳是真诚的，他凭着真情实感描绘西藏人物，他刻画他们脸上的历史沧桑，反映他们的性格气质，表现他们心中的欢乐与痛苦。他作出了可贵的努力，摈弃了不论西方还是中国的现代、后现代艺术极力推崇的荒诞、神秘、扭曲与放纵个性，而是真诚的、理智的正面赞颂光明、健康和朴素，然而是带有精神震撼性的美。刘佳的画具有写实性的写意特点，他的排列式笔触已成为某种主调，出现了相对成熟与平和的状态，看似有

■ 问学于黄胄先生

■ 与程十发先生在一起

■ 与宋文治先生、喻继高先生在钓鱼台

■ 与尹瘦石先生、刘春华先生在笔会上

3

■传承

明显的程式和风格传承，重视笔墨图式语言，与西画的影响保持游离的距离，或叠加、或并置，好像是平面的象征性符号，但在视觉上却仍然充满着抽象和具象因素的和谐统一，不觉然中给人以精神和灵魂的冲击。

可以说，原先刘佳最初多画古典题材，大多都是轻松地表现一些个人的笔墨感受与内心经验，对一些绘画样式和语言方面的思索与探讨并没有十分的在意，然而，艺术的世界是蔚为壮观的，不倾注了自己个性的全部力量或真情的作品，怎能使我们的社会人生富有特色而焕然一新呢？从题材、风格和意义指向上的突破方面来讲，西藏人物只是他暂时把自己特有的生命感受投射的艺术载体而已，而刘佳似乎也在西藏人物画中找到了最能使他的感觉趋于条理和明晰的主题，事实上，刘佳的远离尘嚣、远离都市的西藏梦只是源于他对目前画坛传统或新潮走向的一种反拨，或者说是一种扬弃。但也许他的

思考已经多于实践，笔墨方面的思考和探索使刘佳更深谙中国画最本质的核心：即风格、人品和精神。现实是固定因素，而不同的气质就是能赋予作品以不同品格的创造性因素。而正是在这些不同品格中，在这些始终鲜活的画面中，却是蕴涵着艺术家的喜怒哀乐和巨大人性，它会向你倾诉一个心灵的轨迹，它会令你感动而心荡神怡。刘佳的这些作品几乎同样吸引着我，它们全部赤裸裸地表现着真正的美：那就是西藏，那就是生活，那就是生生不息的高原世界！没有规范，也没有模式，他的画总是有着不可多得的简练。这样简化、真率、再现现实的手法，常会使人想到日本的版画或者19世纪法国最杰出的现实主义绘画代表爱德华·莫奈——他就是有一种能把画面中占主宰地位的调子连同它们的微妙之处紧紧抓住，随后用特写手法把形象塑造出来的天赋。刘佳确实用的是一种由质朴和精确组成的艺术符号语言，他作画迅速，满怀

自信，不受画坛论争影响，我们经常可以从他的作品中看到他这种自己独创的笔法，为全力追求画面的整体效果，逐渐抛弃了对于物象局部的精致描绘。这些大胆流动的笔触，依据感觉被精心排列着，依据经验被生动统一着，倘若我们离开画面数步，便能发现严谨的结构以及扩大了的画面和谐空间。他惯用的色调是青、蓝、黄、赭，使画面充满阳光的感觉，响亮而富有张力，有着一种特殊的清晰度，深刻的真实感和罕见的画面的魅力。

我之所以激赏刘佳，不仅仅是因为这十多年来我俩之间彼此了解的真挚友谊，而完全是因为他的作品已经进入了个性迥然不同的艺术状态，也许我是亲眼目睹了他经历了或短或长的摸索、彷徨时期，苦心孤诣、亦步亦趋，已经使他苦恼不已，这当然永远也不是一个特殊的、才禀出众的人应走的路程，这也就是刘佳独有的气质之所在。

生活　体验　创作

自1997年去西藏采风回来后,对那里富有传奇浪漫色彩的藏民生活有了艺术创作最原始的冲动。对高原伟大民族的风貌有了一种无法抑制的表现欲望,脑海里总是浮现出虽饱经风霜,却巍然屹立于高原群雕般的藏民形象。蔚蓝的天空下雪白的羊群悠闲地漫步在碧绿的大草原上,宛如刀刻般的山峰边线印在眼前的天际上,粗犷与宁静、祥和与神秘交织成一幅幅高原风情的画卷。让人惊叹不已,让画家只能觉得表现手段的匮乏,无法去真实、完整地表现眼前的一切。

画家只能力图在有限的传统中国人物画的造型理论中去寻找,在有限的视觉经验中去梳理,在有限的表现技法中去提炼,企盼着能营造一个理想或神话的世界。这不仅在于描绘这片高原的风情,还在于画面能够激发人们张开想象的翅膀,对那里的地域、历史、文化,对它的过去、现在和将来,作无尽的遐想,那不可用语言和文字所能尽情描述的内在的力量,会是怎样的一个精神形象? 那片神秘的土地是散发着怎样的生命冲动? 这需要一种新的"写实观"来描述和表现,然而纵观整个绘画史有关人物画除了"以形写神"的理论以外几乎乏善可陈,这使得理论和创作出现了严重的脱节。而这种

■与卢沉先生以及于振平、郑瑞勇在画展上

■陪王仲先生游周庄

■和韩国榛先生泛舟湖上

■拜访贾平凹先生

无奈的现象直接影响了中国现实主义人物画的创作发展。

视觉审美的经验告诉我们现实主义人物画就是以人为审美主体的,因此毫无疑问对人研究、表现和发掘是中国人物画的根本课题。对中国人物画创作而言,造型问题是一切表现形式的首要因素。当前学院美术教育有关人物造型的问题,特别是中国画专业人物素描造型已成为专业造型训练的重要科目之一,得到了充分的实践。以素描训练深入塑造形体的观念引进到水墨造型的逻辑推演应是一种合理的引申,这种引申给中国人物画的创作提供了新的表现语言。

传统中国人物画所表现的内容大致为道释人物、宫廷生活等。它的表现形式是画家对不同生活环境的不同理解而创造出来的,在内容和形式上做到了相对的统一。但是传统的演化和流变,使其表现形式随着每一个历史时期的不同内容不断地充实、不断地淘汰又不断地发展。纵观中国绘画史,从顾恺之到任伯年,基本上沿袭着一条以线条表现为核心的主线。这与当时人物的服饰有着直接的联系。"曹衣出水"、"吴带当风",这些技法都与当时的社会时尚有关。而历史发展到今天,时代对中国人物画已经有了更进一步的要求。人们需要一种能贴近生活,

5

■与方增先先生、刘国辉先生以及张志平、叶文夫合影

■与王孟奇、蔡超、梁占岩、纪京宁、纪连彬、林天行等画家在珠海

深刻多样具体的艺术形象而不是空壳化、意念化的人物画。因此当代中国水墨人物画的技法研究趋向有了某种变化，正从早期那种速写式造型式样和花鸟画式的用笔逐渐向以深入刻画的素描式转换和取法山水画多变技法的用笔形式的形态发展。这种花鸟技法与山水技法的兼容，塑造与挥写互补将强化表达生活的能力，拓展审美内涵的容量，找出属于当代人物画创作的路子，找出一个适合表达当代人物的形式。这种形式必须是具有很高的审美价值和有深度的精神内涵的造型。而这种造型必须立足于弘扬中国文化为根本，重新建立中国人物画的审美标准。因此中国人物画家首先必须以生活为依据，同时又排斥对生活原型的模仿与机械复制，而是为"人"找一个很有趣味的表达形式，对其总体特征作总体把握，创造一个新的总体形象。

罗丹曾经说过："美到处都有，只有真诚和富有情感的人才能发现它。"生活和美总是紧密联系在一起的，生活中的一切无不包含着美的因素，关键在于画家运用自己的敏感和想像力去发现美。画家的创作灵感来源于不断的努力观察生活、体验生活以及自身的艺术修养。每个画家都生活在现实的社会里，作品也总是体现着画家

■又一批学生要毕业

对生活的感受、思索、判断和结论，透过作品也可以看出画家的素养、思想、性格、情趣、要求和愿望。因此用自己得心应手的套路一成不变地去应付万花筒似的生活，去应付自己迥然不同的感受，那是对生活感受的亵渎。事实上，我们会经常感到我们掌握的本领很难接近真实的生活。如果我们不断地去追求，那么这个过程就是不断创造的过程。而且应该明白的是技术只是表现手段而不是追求的目的，应是通过手段去达到目的，画家不可本末倒置。某一种表现方法或程式所能传递的审美信息纵然可能非常丰富，但终究是有限的。生活的大千世界给以我们的审美刺激却是丰富多彩的，画家应该对丰富的世界怀有无穷的想像力。18世纪法国著名美学家狄德罗写道："当人们端详拉斐尔、卡拉什兄弟和别人所画的某些形象，所刻画的某些头部的时候，不禁

要问他们是从哪里来的？那是得之于有力火光，得之于废墟，得之于整个民族。他们从整个民族中收集最初的轮廓，然后以诗情来加以渲染。"凡·高曾经在一封信中写道："想像确实是我们必须发展的才能。只有它能够使我们得以创造一种升华了的自然，它比对现实的短暂一瞥——在我们眼中它一直像闪光一样变化着——更能找到抚慰，更能使我们觉察。"

"中国人物画的笔墨取道有二：一是向传统学习，主要从书法、山水画、花鸟画中学习，对传统的优秀作品的品读、临摹，使其转型为我所用，非此不能继承民族传统的丰富遗产；二是向生活学习，在表现新生活的过程中锤炼、创造、纯化，非此不能更贴切地表现新生活，更深刻地理解传统并给传统注入新鲜血液使其得以延伸。后者远远难于前者，它的难度不仅在于这里所需要的

■范扬先生是我老师

■与韦红燕、汪港清、叶文夫、何兴泉等画家在画展上

■随陈传席先生考察龙门窟

■泸沽湖寻梦

■在布达拉宫金顶

■听喇嘛颂经

■彝族少女很婀娜

巨大勇气和足够的智慧，还因为无尽的指责和苛求将伴随它的全过程。"在踏上西藏的土地后，鲜艳的色彩组合给予你强烈的视觉冲击，并能在人的心中唤起永恒的慰藉与欢乐：蔚蓝的天空、土黄的围墙、暗红的僧服、褐色的藏袍、五彩的旌旗、金色的器皿。大量的色彩一下打破了你脑海中传统的中国画用色规律，而且凝重的藏民形象也是无法用"文人画"的笔墨去表现的，必须创造一种新的笔墨结构和用色规律来符合新环境、新生活的要求。因此必须勇敢地去面对现实生活，把握住自己对生活最切身的感受，通过大量的创作尝试，逐渐地形成了一套笔墨、色彩的造型方式。把传统的勾斫、皴擦、点染单纯化，笔墨生涩浑重，沉着有力，犹如黑白版画中的写实一样，它以真实的刻画为基础，但与现实保持着距离。为了提高表现力，根据需要改变一下空勾无皴的状况是必要的。色彩则简而纯地只采用了几种粉质颜料，用色彩分割平面而增加层次，增强绘画作品的真实感，使画面率真、响亮、富有张力和质感。使人物形象具有强烈的个性。

艺术是一种生命的表达方式。《西藏风情》系列画也融进了我对人生、对命运的理解，对中国画艺术的探索。中国人物画有史以来，经历了许多变迁，作为一个当代中国人物画家，应牢牢地把握住笔墨服从于艺术意志的根本，服从于表现的对象"人"，因为人物画使人为之心动的，并不是笔墨技巧及其功能上的效应，而是那些光彩夺目的艺术形象。

□抽烟的男子

□大学时期写生作品

□大学时期写生作品

□沙滩

12

□海浪

□室内

14

□阳光

□芭蕉浴女

16

□蕉园丝弦

□庭院小憩

□芭蕉浴女

□欢乐

□骑车的老人

□彝族人写生

□彝族人写生

□老哥俩

□彝族老人

□悠远的思念

□赶集

□祝福

□祈福

□颂经的小喇嘛

□色拉寺前的高僧

□凝视

□萨迦派高僧

□高原的风

□岁月如歌

□康巴汉子

□取水的藏女

□高原汉子

□彝族少女

□六字真经

□母子情深

□虔诚

□转经轮的青年

□扎西德勒

□吟颂

□八廊街口